The Ghost Hunter

ゴースト・ハンター

アイヴァン・ジョーンズ 作
せな あいこ 訳

評論社

ゴースト・ハンター——目次

ゴースト・ハンター

装画・挿画／ジョージー・バーケット
装幀／川島 進(スタジオ・ギブ)

1　真夜中のできごと

真夜中だった。ロディ・オリヴァーは、ベッドで寝返《ねがえ》りを打った。それから、かんぜんに目がさめた。

教会の時計が二時を打っている。屋根をきしませる風の音も聞こえる。けれど、ロディを目ざめさせたのは、時計や風の音ではなかった。

毛布《もうふ》から顔をのぞかせて、暗い部屋の中を見まわしてみた。洋服ダンスと机《つくえ》のりんかくが、ぼんやり浮《う》かんでいる。

家の外で、樋《とい》が、がたがた鳴った。すっかりさびついた古い門が、きいきい音を立ててゆれている。

そのとき、光のすじが、部屋の向こう側の壁《かべ》を照らし出した。

ロディは息をのんだ。これは、車のヘッドライトなんかじゃない！

そっと窓辺《まどべ》まではっていって、カーテンにかくれて外をのぞいた。

細長い人影《ひとかげ》が、へいの向こうに立っている。そいつは、大きなかいちゅう電灯をロディの部屋に向けていた。そして、鼻を上げて、くんくんと何かにおいをかぐようなかっこうをしている。

ロディは、さっと頭をかくした。

ベッドにもどると、体をかたくしてじっとしていた。が、光はそれっきりで、消えてしまった。

目をとじて、どうにかもう一度、ねむろうとした。でも、どうしても寝《ね》つけない。何時間もたったように思えたが、時計を見ると、まだ二時半になったところだ。もう外の風もやんで、あたりはすっかり静まりかえっている。

ねむらなくちゃ、と自分に言い聞かせて体の向きを変えたときだ。何か音がした。それも、部屋の中で。

ロディは、思わず目をこすった。だって、

そこに、だれかがいたんだから！　ほら、ベッドのはじっこに腰《こし》かけている！
男の子の姿《すがた》をした灰色《はいいろ》の何かが！

2　子ども部屋のゆうれい

ロディの姉さんのテッサが、ねむそうな顔で部屋に入ってきた。長い赤毛が、月光をあびてきらきらしている。
「ちょっとロディ、どうしたの？　大声あげたりして」
テッサが言った。
ロディは、ただ、しっかり毛布《もうふ》をにぎりしめ、ベッドのはじっこにいる得体《えたい》の知れないものを見つめるばかり。あんまり必死で毛布《もうふ》をにぎりしめているもんだから、指の関節が白く見える。顔色も、ゆうれいみたいに真っ青だ。

「そこに、お、お、お……」

ロディは、目を大きく見開いたまま、とぎれとぎれに言った。

テッサのほうは、たっぷり一分間はつづくような大あくびをすると、

「お、お、おって、何が言いたいのよ、あんた」

と、じれったそうに聞いた。

「だから、お、お、お……」

ロディの舌《した》は、もつれっぱなし。

「まったく、どうしちゃったのよ？　お、お、おの次は、なんなの？」

「おばけが、おばけが、そこにいる！」

ロディが一気にまくしたてた。けれど、テッサは、ただ顔をしかめただけだ。

「悪い夢《ゆめ》でも見たんじゃないの。いいから、もう寝《ね》なさいよ」

「あいつが見えないの？　ベッドにすわってる。くつブラシなんか首から下げてさ。ほら、そこにいるだろ？」

ロディは、きいきい声でさけんだ。

「あ、わかった。あたしをからかおうってこんたんね」

テッサが言うと、ゆうれいみたいなやつが笑った。それから舌《した》を出して、ぺろんと自分の顔をなめてみせた。ネコだって、あんなにじょうずになめられない。

次に、ふたつの目玉をぐるぐるまわしはじめた。一方の耳が上に向かって動き、もう片方《かたほう》は下に下がっている。

そのかっこうのままで、そいつが言った。

「あいぼう、おまえ、何言ってもむだってもんだ。姉ちゃんには、おいらが見えねぇんだからよ。だいじょぶ、おいら、おまえに悪さしねぇから。姉ちゃんにはもう、出てっても

らいな」

ロディは、あんぐり口をあけた。

「ひえええ、しゃべった！」

「もうたくさん！」

テッサが、ぴしゃりと言った。

「こんな夜中にあたしをベッドから引きずり出すなんて、なんて子なの」

「行かないでよ！」

ロディだって必死だ。テッサの腕《うで》をがっちりつかんで、はなさない。

ゆうれいみたいなやつは、ふわふわ飛び上がると、ぽんとテッサの頭の上に乗っかった。

「わあ、姉さんの頭の上に乗った！」

「ロディ、いいかげんにしなさい！　パパをよぶわよ！」

とうとうテッサがどなった。ゆうれいボーイは、今度は洋服ダンスの上に飛びのった。

「おい、こんなこと、おいらにゃ朝飯前なんだぜ」

ロディはびっくりして、思わずテッサの腕《うで》をはなした。テッサは、ぷりぷりして部屋を出ていった。

ゆうれいのほうは、床《ゆか》におりたつと、にかにか笑いながら手をふって、壁《かべ》に向かって歩いていった。そして、「またあしたな」と言うなり、壁《かべ》の中に消えてしまったのだ。

3　ぴかぴかぐつのなぞ

次の朝になると、ロディも、夕べのできごとはみんな夢《ゆめ》だったのじゃないか、と考えた。

朝ごはんにキッチンにおりていきながら、そのことばっかり考えていた。

「ちょっと！　ハニー・クランチを全部食べちゃったのは、だれよ？」

席につくなり、テッサは文句《もんく》を言ったが、ロディのほうは考えごとにいっしょうけんめいで、姉さんと口あらそいをするどころじゃない。

そこへ、パパがやってきた。

「くつをみがいておいてくれたんだね。ありがとう！」

パパは、ママのほっぺたにキスして言った。

「よく、あんなにぴかぴかにみがきあげたもんだ。すごいよ」

「あら、あたしじゃないわ。テッサがやったんじゃないかしら」

ママが答えた。

「あたしも知らない」

と、テッサ。

「じゃ、ロディだね？」

ロディも首を横にふった。そしてふと、自分の黒い学校行きのくつに目をやった。はいたときには気がつかなかったけれど、鏡みたいにぴ

かぴか光っている。

「ふうむ、こいつはミステリーだ」

パパはそう言って、会社に出かけていった。

じきに、テッサとロディも、学校へ行く時間になった。ロディは道々、〝ミミズ入れ〟と書いた缶《かん》を取り出して、

「ねえ、チョコが入ってるんだ。食べない？」

と、テッサにすすめた。

「おえっ、いらないわよ。気持ち悪い」

「えっ、だってもう、何週間もミミズは入れてないよ」

「いらないってば！」

言い合っているうちに、ふたりの大好きなお菓子《かし》屋さんの近くにやってきた。

「あれ？」

まず、ロディが気づいて言った。

「ねえ、見てよ。看板《かんばん》をおろしてる」

たしかにそう、古い看板《かんばん》をおろして、新しい看板《かんばん》にかけかえているさいちゅうだ。新しい看板《かんばん》には、こう書いてある。

スイート・ボックス　クローカー商店

「だって、あそこ、ハンフリーさんのお店じゃない。どうなっちゃったのかしら？」

テッサが顔をしかめた。ロディだって、わからない。

〈スイート・ボックス〉はステキなお菓子《かし》屋さんだ。棚《たな》いっぱいに、おいしそうなお菓子《かし》のびんがぎっしりならんでいる。ハンフリーさんはとてもやさしいおばさんで、子どもたちがどんなに長い時間かかってお菓子《かし》を選ぼうと、にこにこ見守ってくれるのだ。

ふたりは、お店に入っていった。

とたんに、もうそこが、昔の〈スイート・ボックス〉とはちがってしまっていることがわかった。お菓子《かし》のびんはみんな、鍵《かぎ》つきの戸棚《とだな》に入れられている。カウンターの向こうに立っているのが、新しい店主のクローカーさんらしい。

　クローカーさんは、小さくて意地悪そうな黒い目で、テッサとロディを、ぎょろぎょろながめまわした。一八〇センチをこえるような背丈《せたけ》に、にこりともしないこわい顔、おまけに、とてつもなく長い、奇妙《きみょう》な鼻の持ち主だ。

　ロディは、クローカーさんの鼻の穴《あな》を見上げて、まるで二連式のショットガンみたいだと思った。その二連式ショットガンが、いらだたしそうにびりびりふるえている。

「何か？」

と、クローカーさんが聞いた。

「ええっと、あのぉ……」

ロディは口ごもった。

顔には作り笑いをはりつけていたが、クローカーさんの指は、カウンターの上をふきげんそうに、こつこつたたいている。

後ろの棚《たな》に手をのばして、お菓子《かし》のふくろを取ろうとしたロディは、「さわるんじゃない！」というクローカーさんの大声に飛び上がった。

腕《うで》を引いたひょうしに、はしごにつまずき、お菓子《かし》のびんがひとつ、床《ゆか》に落ちてしまった。

ああ、割《わ》れなくてよかった！

「この、ぼんやりのドジのマヌケ！」

クローカーさんが、どなりちらした。

ちらっとクローカーさんの顔を見るなり、ロディは

テッサを引っぱって店から飛び出した。

学校に向かって急ぎながら、ふたりは、お菓子《かし》屋の新しいおばさんのことをあれこれ話し合った。

校庭を横切っているときだ。ロディの〃ミミズ入れ〃の缶《かん》から、チョコレートの包み紙が一まい、ひらりと地面に落ちた。

「おい、おまえ！」

だしぬけに声がした。テッサとロディがきょろきょろしていると、新しく入ったばかりの用務員《ようむいん》さんが、やってきた。ひょろりと背《せ》の高い男の人で、いつも、しかめっつらをしている。大きなむらさき色の鼻がとくちょうだ。

「〃デカ鼻おじさん〃だ。なんの用だろう？」

首をかしげているロディに、おじさんはカミナリを落とした。

「おまえ、わざと紙くずを落としただろう。生意気なやつ！　わしゃ、生意気なガキはきらいだ！」

「ご、ごめんなさい」

ロディはあやまった。

「わしをバカにする気か？　え？」

おじさんは、がみがみとつづけた。

「いえ、ちがいます。ほんと、ごめんなさい」

「たっぷり後悔《こうかい》させてやる」

ロディの耳をねじりあげながら、デカ鼻おじさんは言った。

「もしおまえが、今度わしの校庭をよごしたりしたら、覚悟《かくご》しておくがいい。ぜったいゆるさんからな！」

ロディは悲鳴をあげると、おじさんの手をふりきって、学校へ走りこんだ。

やれやれ、なんて日なんだ！

4　ウイリアム・ポヴェイ

その夜、ロディがベッドに入ると、どこからか歌声が聞こえてきた。
ロディったら　まったく　へんなやつ
お顔は　しなびた　タマネギみたい
ロディは、がばっと起き上がった。
「ぼくをおどかすのはやめろ！」

と、そのとき、妙《みょう》な音がした。きゅっ、きゅっ、きゅっ。

よく見えるように、ロディはカーテンを開けた。すると、夕べのゆうれいが、洋服ダンスの上に、赤いペンで落書《らくが》きをしてるじゃないか。

ロデたら　またく　へな　やつ

「おい、やめろ！」

ロディがさけんでも、ゆうれいボーイは知らん顔だ。

おいら　なまえ　ウリアムポペイ
ともだち　なろぜ

「やめろったら！　ママにぶっとばされるぞ。それに、きみのつづり、めちゃくちゃだ」

「しかたないさ。おいら、ガッコに行ってねぇもん。くつみがきなんだからよ」

「ここで、何してるのさ？」

「かくれてんだ」

「かくれるって……」

そう言いかけたとき、ロディの頭に、あの光景がよみがえってきた。真夜中に、かいちゅう電灯でぼくの部屋をさぐろうとしたやつがいたっけ！

「だれかが、きみを追いかけてるんだね？」

「そうとも、あいぼう。そのとおり」

「だれなんだい、それは？」

ロディはたずねた。

「ゴースト・ハンターだよ。おいらを、びんの中にとじこめる気なんだ！」

「なんだって？」

「つまり、ゆうれいをつかまえるのがゴースト・ハンターの役目で……」

「それはわかった」

ロディは、話をさえぎった。

「どうやって、びんの中なんかに入れるのさ？」

「おいらも、ほかのゆうれい仲間から聞いただけなんだけんどよ」

と、ウィリアムは説明を始めた。

「ゴースト・ハンターのやつは、何か特別な霧吹《きりふ》き器を持ってるって話さ。ゆうれいの近くに来ると、その〝ゆうれいがちんこスプレー〟を吹《ふ》きかける。おいらたちは、ひとたまりもなくちぢ

んじまう。で、たちまち、小さなびんの中にすいこまれちまうってわけ。そうなったらもう、ぜったい外になんか出られない。遊べないし、いたずらもできない。世界の終わりが来るまで、そのまんまだ」

ロディは、話しているウィリアム・ポヴェイをじっくりとながめた。ぼろぼろのブーツに短いズボン、くつずみでよごれた長い上着。首にかけたひもには、くつみがきのブラシがいくつもぶらさがっている。ポケットから飛び出ているのは、くつみがきの布《ぬの》だろう。大きすぎる帽子《ぼうし》の下で、にかにか笑う顔が見える。

「おまえにゃ、〝特別な目〟があるんだぜ、あいぼう」

ゆうれいボーイがいきなり言った。

「〝特別な目〟って？」

「だって、おまえ、おいらの姿《すがた》が見えるし、声も聞こえるんだろ？　そういうやつは、何千万人かにひとり、いるかいないかってとこさ。な、おいらの友だちになるっきゃないだろ」

ゆうれいはそう言うと、歯のぬけた口でにいっと笑って、てんじょうにふわふわとすいこまれていった。

「おい、待てよ。もどってこいよ」

ロディは、とにかく洋服ダンスの落書《らくが》きを消すことにした。

「なんだい、勝手なやつ！」

ロディがつぶやくと、

「そ～んなことねぇってば！」

ウィリアムは、今度は人間の指くらいの大きさにちぢんだかっこうであらわれた。目ざまし時計の上で、バランスをとっている。

「ひゃあ、そんなこともできるの？」

「わけねぇよ。ちぢめ！　って、思いさえすりゃ、ちぢめるのさ」

ウィリアムは、ふつうの大きさにもどりながら言った。

「なあ、おいらを助けてくれよ、ロディ」

「助けるっていっても……きみには、ずいぶんこわい目にあわされたからなぁ」

「ははっ」

ウィリアムは笑った。

「こわがることなんか、なかったのにな。おいらのこと、〃あいぼう〃だって思ってくんなよ」

「わかったよ。けど、どうやったら助けられる？」

「いっしょにいてくれりゃいい。そうすりゃ、ゴースト・ハンターだって、おいらをつかまえにくくなるだろうよ。な？」

「そうだね。でも、そいつがここへ来ないのがいちばんいいんだけど」

ロディが言うと、ウィリアムもうなずいた。

「そうとも、来てほしくねぇもんだ」

「せっかく友だちになったんだから、何かおもしろいことしない？」

「そりゃいいや。だれか、おどしてやりたいやつがいたら、おいらにまかせな。おいら、ゴースト・ハンターが来ないかどうかだけ心配してりゃいいんだからよ」

「やったね！」

ロディはちょっと考えたあと、パチンと指を鳴らした。

「まずはじめにおどしてほしい人を思いついたよ」

「だれさ？」

「おっかないうちの姉さん！　うんとこわがらせてやってよ」

「まあ、ちょっくらおどかしたって、バチはあたらねぇだろう。こいつを持ってみな」

ウィリアムはそう言うと、くつブラシをロディに差し出した。

「これでどうするの？」

「まあいいから、持ってみなって」

5　姉さんは大物

ロディの指がくつブラシにふれたとたん、腕《うで》にびりびりっと冷たいものが走った。

「あれ、なんだか体が軽い。飛べそうだ」

「やってみな」

と、ウィリアムが言った。

「浮《う》き上がるぞって、思やいいんだ」

ロディは、いっしょうけんめい念じた。と、ロディの体が、ものすごいいきおいで回転しはじめた。

「おいおい、何考えたんだよ？」

「ヘリコプターのこと考えちゃった！」

ロディはもう、目がまわって気持ち悪くなりそうだ。

「なんだ、そりゃ？」

「プロペラをぐるぐるまわして飛ぶ乗り物だよ。あれ、そうだったかな。ええい、何がなんだかわからない！」

ウィリアムは笑いだした。

「何か、ほかのものを考えなよ」

ロディは、今度は熱気球を思い浮《う》かべた。すると、体がまっすぐ上に浮《う》き上がって、肩《かた》から上が、てんじょうをつきぬけてしまった。

「げっ、ここはどこ？　真っ暗で、クモの巣だらけだよぉ」

「てんじょう裏《うら》まで行っちまったんだ。下におりようって考えてみな」

ロディはゆっくり、じゅうたんの上に着地した。

「わぁお！　最高だよ、これ！」

「だろ？　じゃ、姉ちゃんの部屋に行くとすっか」

「すぐとなりだよ。あ、でも、ぼくたちの姿《すがた》を見られちゃうよ」

「いんや。おいらの姿《すがた》が見えるのは、おまえだけだから、だいじょぶさ。それに、そのブラシを持ってりゃ、おまえも透明《とうめい》人間なんだよ」

「すごい！」

ロディは言った。

「さ、行こうぜ。けど、よけいなこと考えんなよ。うっかりしてて、えんとつのまわりを飛びまわることになっちまったら、ヤバいからよ」

ウィリアムが先に立って、する〜っと壁《かべ》の中に入っていった。それから、部屋にはってあるサッカー選手のポスターの真ん中から、腕《うで》だけがにょきっと出てきて、おいでおいでをした。

「きゃっ、おっそろし〜い！」

ロディは、くすくす笑って言った。

さて、ウィリアムが腕《うで》を引っこめると、ロディの目の前には、ぶあつい壁《かべ》がたちはだかっているばかり。ぜったい鼻を打ちつけるのがオチだなと思いながら、一歩進むと、なんと、バターにナイフを入れるみたいにすんなり壁《かべ》をぬけられたのだ！

テッサは、ベッドで本を読んでいるところだった。

「おっかなそうにゃ、見えねぇけどな」

ウィリアムが言った。

「姉さんのこと、よく知らないから、そんなことが言えるんだ」

「わかったよ。じゃ、はじめるか」

ウィリアムはさっそく、血も凍《こお》るようなさけび声をあげはじめた。

が、テッサは、ぜんぜん気がつかない。

「聞こえねぇのかな」

今度はロディが、戸棚《とだな》をぎいっと開け、それから、ばたん！　としめた。

「うるさいわよ！」

テッサは、となりの部屋に向かってどなった。

「ね、てごわい相手だろ？」

ロディの言葉に、ウィリアムも肩《かた》をすくめた。

「根性《こんじょう》のある姉ちゃんだな」

ロディは、ぬいぐるみのクマをテッサに投げつけた。ちょうどうまいぐあいに、本の上に落ちた。

ところが、テッサときたら平気のへいざで、

「かわいいクマちゃん、こんにちは。どっから落ちてきたのかな」

と言ったきり、読書にもどっていった。

「だめだ、こりゃ」

ウィリアムもあきれた顔。

「これなら、びっくりするだろう」

ロディが、まくらもとの

電気をつけたり消したりすると、テッサも、やっと本から顔を上げた。

「あらまあ、そろそろ寝《ね》なさいってことだわね。ふわぁぁ……」

テッサは本をとじると、大あくびをした。

「あした、もっかいやってみるか」

ウィリアムもあきらめて言った。

「あしたはだめだよ、学校があるから。きみには、家で留守番《るすばん》してもらわなくちゃ」

とつぜん、ウィリアムがおびえた表情《ひょうじょう》になった。

「いやだ。ひとりにしねぇでくれよ。ゴースト・ハンターがまたもどってきたらどうする？　おいら、びんにとじこめられちまうよ。おまえといっしょにガッコに行きたいよ」

「わかった。でも、ぜったい変なことしちゃいけないよ。いいかい？」

ロディが念を押《お》した。

「もちろんさ。やくそくする」

6　学校の怪事件《かいじけん》

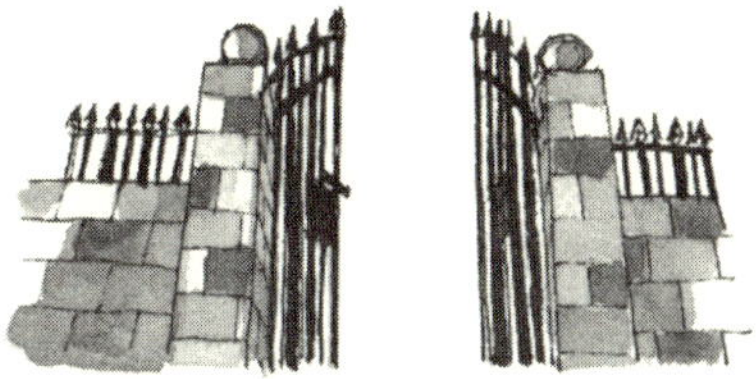

次の日、学校の門をくぐったところで、ウィリアム・ポヴェイは姿《すがた》をあらわした。

「ねえ、ウィリアム。きみ、学校へついてくるの、やめたほうがいいんじゃないかな」

ロディは、ささやくように言った。

「だぁれも、おいらに気づいたりしねぇって。だいじょぶだよ」

その言葉どおり、最初のうちは、ウィリアムもおとなしくしていた。小さくなって、ロディの消しゴムの上にのっかっていたのだ。

「おい、今、何やってんだ？」

ウィリアムがたずねた。

「算数だよ」

「お笑いの時間てのは、ねぇの？」

「午後は、美術《びじゅつ》のじゅぎょうだ」

「手術《しゅじゅつ》のじゅぎょうならいいのに」

ウィリアムはくすくす笑って言った。

「ちっとはマシだろうにさ」

そこへ、ジャスティン先生の声がひびいた。

「みなさん、教科書をとじて」

とんでもなく長い鼻をして、四角いめがねをかけた女の先生だ。

「力だめしのテストをします」

クラスじゅうがぶつくさ言った。先生が教室をぐるりと見わたすと、ふゆかいそうにぴ

くぴくふるえる長い鼻も、いっしょに動いた。

「ぶつぶつ言うのはやめなさい！　こういうテストこそ、あなたたちの役に立つんです。いい？　Aさんが一こ九ペンスのモモを九こ買ったとします。一ポンドはらったら、いくらおつりがくるでしょう？　さあ、ロディ、答えて」

でも、ロディのほうは、目をまんまるにして黒板を見つめていた。

だれかが黒板に、おかしな似顔絵をかいていた。水まきホースみたいな長い鼻が、四角いめがねの下からつき出している絵だ。その下には、見覚えのある字で、こんなことが書いてあった。

ジヤステンせんせ

おっさんが　くつ　みがくのに

あんたに　三ペンスと　三
はらたら　六ペンスなら
おつり　いくらね

ロディ以外のクラスメイトたちは、みんな、笑いだした。ジャスティン先生は、真っ赤になった。

「ロディ、あなたがやったの？」

「ちがいます！」

「じゃ、ほかのだれかってことになるわ。見つけ出してやる！」

先生は大声でそう言うと、黒板の文字をらんぼうに消した。

ウィリアムが、ジャスティン先生の机《つくえ》に腰《こし》かけているのが見える。ロディはうなった。

「やめてくれ～」

「いいえ、やめませんとも！」

先生がロディをにらんだ。

「いいですか、ロドリック・オリヴァー。わたしは、犯人《はんにん》を見つけると言ったら、きっと見つけます。口ごたえしないで」

ロディの机《つくえ》の上に、ウィリアムがもどってきた。

「ガッコってのは、おっかしなとこだな。な?」

「いいから、だまっててくれ!」

思わずロディがさけぶと、ジャスティン先生がくるりとふりむいた。

「なんですって?」

「あの、いえ、その……先生に言ったんじゃないんです。つまり……」

しどろもどろのロディをさえぎって、先生は言った。

「もうけっこう。外で立ってなさい！」

ロディは、ウィリアムにいかりをぶつけた。

「全部きみのせいだぞ。だから、学校にはついてくるなって言ったんだ」

ロディが教室を出ようとしたときだ。ふと見ると、ウィリアムが、インクびんを持ち上げて、ジャスティン先生をねらっているじゃ

ないか！

「こいつをぶっかけてやろうかな」

「だめ、やめろ！」

それを聞いたジャスティン先生は、口をあんぐり開けた。ロディはもう、胃がねじれそうだ。

「先生に向かって、なんてことを言うの。信じられないわ」

ロディは、深く息をはくと、

「ほんとにすみません、ジャスティン先生。ぼく、どうかしちゃってるんです。自分でもよくわからなくて。夜はいやな夢《ゆめ》ばっかり見るし……その、ゆうれいなんかが見えたりするし……」

それを聞くと、先生は、なんだかすごくほっとしたような表情《ひょうじょう》になった。

「そうだったの。わかったわ、ロディ。もういいから、おすわりなさい」

その日一日じゅう、ジャスティン先生は、ロディを大切にあつかってくれた。うっかりえんぴつを落としたときも、こんなふうだ。

「気分はどう？　ちょっと休みたければ、そう言ってちょうだいね」

そのうえ、お昼ごはんの時間にも、食堂でわざわざロディのとなりにすわり、おまけのプリンとチョコレート・バーまでくれたのだ。

「いいわね、ロディ、あなたは疲《つか》れているだけなのよ」

先生は、あまったるい声でそう言った。

「ゆっくり、じゅうぶん、疲《つか》れをとりなさい。ね？」

それでも、学校が終わったときには、ロディもさすがに、やれやれ助かったと思った。教室から出ると、さっそくウィリアムに文句《もんく》を言った。

「だから、きみと学校に来るのはいやだったんだよ」

「おいら、おまえといっしょにいたかっただけだ」

ウィリアムは、しょんぼりしている。

「そんなこと言ったって、きみのおかげで、さんざんな目にあったじゃないか。悪いけど、あしたは家にいてくれよ」

しばらくだまっていたウィリアムが、

「でも、おいら、これで、ガッコってもんがどんなもんかわかったよ」

と言いだした。

「紙きれ相手に、いちんちじゅう遊んでりゃいいんだな」

「遊んでなんかいないよ！」

ロディがあきれて言った。

「だってよ、仕事なんか、ひとっつもしてねえじゃん。くつみがくのとは、ぜんぜんちがくってら」

「あれがぼくらの仕事なんだってば。勉強って、ああいうことなんだ」

「そんでも、だれにも耳ひっぱたかれたりしねぇよな。くつみがきの屋台とはちがう。くそったれのジャスティン先生だって、ロンドンの町をうろついてるおっさんたちにくらべりゃ、天使みたいなもんさ」

「そうかもね。でも、新しい用務員《ようむいん》さんに会ったら、きみも考えを変えると思うよ」

ロディが言ったとたん、

「おい、おまえ！」

と、聞いたことのあるカミナリ声がとどろいた。

「ありゃ、悪魔《あくま》だよ」

デカ鼻おじさんが、いかりのあまり手をふりまわして向かってくるのを見ながら、ロディは言った。大きな鼻を、まっすぐこちらにつき出している。

「ああ、いったい、なんの用事なんだ？」

ロディはぼやいた。

「わしの芝生《しばふ》に入るな！」

足もとに目をやると、なるほど、新しい看板《かんばん》が立っている。

芝生《しばふ》に　入るべからず

ロディは、大急ぎで芝生《しばふ》から飛び出した。デカ鼻おじさんは、ずんずん近づいてくる。

と、そこへちょうど、ジャスティン先生が通りかかった。

「まあ、ロディ」

先生は言った。

「早くお帰りなさい。きょうは、ほんとにぐあいが悪そうだったもの。うろうろしていて、カゼでもひいたらたいへんだわ」

先生がおじさんにあいさつしている間に、ロディはうまく逃《に》げ出した。

7　テッサもびっくり

「ジャスティン先生からお電話だったわ」
電話に出ていたママが、受話器を置くなり、そう言った。心配そうに、ロディのほうをうかがっている。
「何があったのか、教えてちょうだい」
ロディは暖炉《だんろ》に目をやった。ウィリアムが、足を組んですわっている。いつものにやにやや笑いを浮《う》かべて。

「べつに。ついてない日だったってだけさ」

「ゆうれい騒動《そうどう》とかって聞いたけど？」

ママに言われて、ロディは言葉につまった。ウィリアムときたら、はげしく頭をふってうなずいている。姉さんのテッサもそこにいて、じっと弟のようすを観察していた。

「説明して」

ママがせっついた。

「だから、なんでもないって。おかしな夢《ゆめ》を見たんだってば。ねぇ、もう行って宿題しなくちゃ」

ロディは、自分の部屋にかけこんだ。ウィリアムもすぐそばにいる。

「おいらのこと、まだおこってんの？」

「ううん」

ロディは首をふった。

「だけど、ぼくの立場は、ますますややこしくなるだろうなぁ」

そのとき、部屋の外で、ぎいっと床《ゆか》がきしんだ。

「ねえ、ぼくの姉さんて、どんな人だと思う？」

ロディは、わざと大声を出した。

「こそこそかぎまわるのが好きなんだ。ドアの外に立って、人の話をぬすみ聞きするようなタイプ！」

ドアの後ろから、テッサがおずおずと顔をのぞかせた。

「ごめん。でも……あんた、だれとしゃべってたの？」

「ふん。姉さんだって、ぬいぐるみに話しかけるじゃないか」

「それとこれとは、べつでしょ！」

テッサは、さっさとおどり場のほうへ行きかけた。が、ロディが後ろから、

「もう電気がついたり消えたりしないといいね」

と言うと、急いで引きかえしてきた。

「なんで、そんなこと知ってるのよ？」

「言っても、信じてもらえないよ」

「ちょい待ち」

ウィリアムが横から口をはさんだ。

「姉ちゃんをからかっても、しかたねぇ。いっそ、秘密《ひみつ》を打ち明けたらどうだい？」

「だまってろ！」

「なんですって？」

と、テッサ。

「なぁ、姉ちゃんならきっと、だれにもしゃべったりしねぇよ。根性《こんじょう》あるからな。ゴースト・ハンターをやっつけるには、味方が多いほうがいいじゃんか」

「ゴースト・ハンター」と口に出したせいで、ウィリアムはおびえた顔になった。こっそり窓《まど》の外をうかがっている。

「ぜったい秘密《ひみつ》を守れる？」

ロディがテッサに聞いた。

「ええ、だいじょうぶ」

「ぼく、新しい友だちができたんだ。その子は、その、あの……」

「なんなのよ？」

「ゆうれいなんだ」

「あらまあ、ママが心配するはずだわ」

テッサがあきれて言った。

「だから、信じてもらえないって言ったんだ」

そう言うロディを、ウィリアムがなぐさめた。

MANCHESTER

「落ち着けよ、あいぼう。姉ちゃんには、おいらの姿《すがた》が見えねぇ。声も聞こえねぇ。そうかんたんに信じられっこねぇさ」

テッサのほうは、ぷりぷりしながら部屋を出ていくところだった。ウィリアムが、ひゅうっと飛んでいって、くつみがきのブラシを、いきなりテッサの手の中に押《お》しこんだ。その瞬間《しゅんかん》、今まで見えなかったブラシが、はっきり見えるようになった。テッサはびっくりして、きゃっと声をあげた。

「このブラシ、どこから出てきたのよ？」

「友だちが、姉さんの手に押《お》しこんだんだ」

「ゆうれいのお友だちがってこと？」

ふわふわと、ふたりの頭上を飛んでいたウィリアムが言った。

「てんじょうを見てみろって、姉ちゃんに言いな」

「上を見てごらんよ」

テッサは、ロディに言われるままに目を上げた。そして、またしても、きゃっと悲鳴をあげることになった。

「どうして、姉さんにもきみが見えるようになったの？」

ロディがウィリアムにたずねた。

「ブラシさ。あれを持つと、おいらが見えるってわけ」

ウィリアムが答えるのを聞いて、テッサはさけんだ。

「ひいいっ、しゃべってる！」

「静かにしてよ」

ロディが注意した。

「秘密《ひみつ》を守れるって言うから、ウィリアムをしょうかいしたんだぜ」

「ウィリアム？」

「そうさ。姉さん、こちらが友だちのウィリアム・ポヴェイ」

ウィリアムは、ふわふわと床《ゆか》におりてくると、にかにか笑いながら、テッサに向かって手を差し出した。

テッサには、とてもその手をにぎる勇気がなかった。けれど、消え入るような声で、あいさつだけはきちんとやってのけた。

「ハイ、ウィリアム。よろしく」

これを見たロディは、姉さんのほうが、ぼくなんかよりよっぽど肝《きも》がすわってる！と、ひそかに舌《した》をまいた。

「ブラシを持つとどんなことができるか、姉さんに見せてやっていいかい？」

ロディはウィリアムのゆるしをもらうと、テッサに、ブラシを使って空中を飛ぶ方法を

教えた。姉さんに何かを教えてあげるなんて、ロディの一生の中でも初めてのことだ。三人そろって部屋じゅうをふわふわ飛びまわるのは、なんとも言えず楽しかった。

そこへ、階段《かいだん》の下から、ママのよぶ声がした。おやつの時間だ。

声に気をとられて、テッサがどすんと床《ゆか》に落っこちた。

「あいたぁ！」

テッサが背中《せなか》をさすりながら言うと、

「もうちょっと練習すりゃ、こつがつかめるって」

と、ウィリアムがうけあった。

「わたしに秘密《ひみつ》を打ち明けてくれて、うれしいわ。ありがとう」

目をきらきらさせて、テッサはふたりに言った。

「こんなに楽しい思いをしたの、ひさしぶりよ」

「今夜ベッドに入る前に、ぼくの部屋に来て。相談したいことが、山ほどあるんだ。とくに……」

ちらりとウィリアムを見てから、ロディはつづけた。

「ぼくらの友だちをつかまえようとしてるやつのことをね」

「つかまえる、ですって？　あなたを？」

テッサがおどろいて言うと、ウィリアムは答えた。

「そうとも。おいらたちを助けてくれよ」

8　ゴースト・ハンター

「さあ、いいわよ。話してちょうだい」

その夜、ロディの部屋の床《ゆか》にすわりこむと、まずテッサが言った。

「いったい何が起こっているの？」

「ウィリアムに危険《きけん》がせまってる」

ロディが言うと、テッサは、ウィリアムのほうに顔を向けた。

「ほんとなの？」

「ほんとだともさ。ちょいとやっかいなことでよ」

「ゴースト・ハンターが、ウィリアムを追いかけてるんだ」

ロディがつづけた。

「ゴースト・ハンターですって?」

テッサが聞きかえした。

「そのとおり。ゆうれいをつかまえて、びんづめにするやつのこった」

ウィリアムは、考えただけでもおそろしいというように、体をふるわせた。

「ゆうれいを集めてる人なの?」

「ああ。いろんなタイプの、いろんな時代のゆうれいをコレクションしてるって話さ。エリザベス朝の女官《じょかん》から、ローマの兵隊までな。そいで今度は、おいらみたいなヴィクトリア朝の子どもがほしくなったってわけだろ。おいら、ねらわれてんだ」

「なんてひどいの! でも、どうやって、あなたをつかまえるつもり?」

そこで、ロディとウィリアムは、かわるがわる、ゆうれいをつかまえるスプレーとびんのことを説明した。

「ここにいれば、安全なの？」

テッサは、心配そうだ。

「わかんねぇ。ただ、ここにいりゃあ、ゴースト・ハンターのやつ、おいらをつかまえるのに、家に入りこまなきゃなんねぇよな。けど、いちんちじゅう、家ん中をうろうろしてるわけにゃいかねぇ……だろ？」

「う〜ん。それはそうだけど……とにかく、だれがゴースト・ハンターか、見分ける方法を見つけなくちゃいけないな」

でも、どうすればそんなことができるんだろう？　ロディは、考えこんでしまった。

ウィリアムは、というと、ロディの学校行きのくつを、すごいいきおいでみがきあげているさいちゅうだった。

「ああ、あたしたちのくつをみがいてくれたのは、あなただったのね」

テッサが笑って言った。それから、まじめな調子で、

「ねえ、ウィリアム。ほんとにほんとに、ゴースト・ハンターなんて存在《そんざい》するの？　あな

たをこわがらせようと思って、ほかのゆうれいたちが作った話じゃない？」

「あいつは、ほんもんだ」

「じゃ、見たことある？」

「あるともよ。遠くからだけんどな」

「ぼくも見たんだ！」

ここで、ロディがこうふんしてさけんだ。

「ウィリアムがやってきた最初の晩《ばん》にね。ぼくの部屋の窓《まど》をかいちゅう電灯で照らして、のぞこうとしてた」

「そいつって、チョーださいやつ？」

テッサの問いに、ウィリアムはきょとんとしている。

「チョー……なんだって？」

「つまり、どんなかっこうかって聞いてるんだ」

ロディが助け船を出した。

「ええと、う～んと背《せ》が高いな。ロディも気づいたはずさ。そいで、やせてるんだ。暗くておいらには見えなかったけど、ほかのゆうれいに聞いた話じゃ、そいつの鼻がとんでもねぇらしい」

「鼻が？」

「そうよ。見たことねぇほど長い鼻なんだと。いっぺんでも見たら、わすれられねぇってよ」

ロディは、ウィリアムの言葉を聞いて、何か思いついたことがあるらしい。

「そいつは、その長い鼻で、おいらたちをくんくんかぎだすんだ。猟犬《りょうけん》みてぇにな」

「こわい！　ゆうれいのにおいって、そんなに独特《どくとく》のものなの？」

「そうさなぁ……」

ウィリアムは、ロディのほうに向きなおった。

「おまえは〝特別な目〟を持ってるって、おいら言ったよな？」

「うん」

「ゴースト・ハンターも〝特別な鼻〟を持ってんだ。どんなゆうれいのにおいでも、あっという間《ま》にかぎだす能力《のうりょく》をな。〝特別な目〟の持ち主は何千万人にひとりだけんど、〝特別な鼻〟の持ち主は、一億人にひとりなんだぜ」

ロディは、ずっと考えていたことを、思いきってテッサに言ってみた。

「姉さん、デカ鼻おじさんが、そいつかもしれないと思わない？」

「ありうるわね」

テッサもうなずいた。

「新しく引っこしてきたばかりだし、たしかに、せいたかのっぽで、びっくりするくらい鼻が長い。めちゃくちゃ性格《せいかく》悪いしね」

「だれでぇ、そいつ？」

ロディは、ウィリアムに思い出させようとした。

「ほら！　きみも会ってるはずだよ。きょう、ぼくをどなりつけたやつがいたろ？　用務《ようむ》員《いん》のおじさんさ。あいつ、ぼくのそばにきみがいるのを、かぎつけたにちがいないよ。ちょうどジャスティン先生が来てくれたんで、助かったんだ」

ウィリアムは、青くなった。

「ゴースト・ハンターに追いかけられて、どれくらいになるの？」

「二、三か月ってとこ」

ウィリアムは、もう鼻をぐすぐすいわせている。

「だいじょうぶ。心配することないって」

テッサが、たのもしいことを言った。

「あたしたち、ぜったいに、あなたをびんづめになんかさせないわ。そうでしょ、ロディ？」

「ぜったい、そんなことさせるもんか！」

ロディも、いっしょうけんめいだ。

「あんがとよ。おまえたち、ほんと、いい仲間だ」

テッサは、そろそろ部屋にもどることにした。ロディも寝《ね》る時間だ。

ちょうどとうとしかけたとき、ウィリアムが耳もとで、いきなり声を出した。

「びっくりさせないで！　心臓《しんぞう》止まりそうだよ」

ロディは文句《もんく》を言ったが、ウィリアムは必死の顔つきだ。

「静かに！　窓《まど》の外を見ろって！」

カーテンのすきまから、たしかに、かいちゅう電灯の光がさしこんでいる。ロディは、窓《まど》まで赤ちゃんみたいにはっていき、そっと外をのぞいた。

はじめのうちは、かいちゅう電

灯がまぶしくて何も見えなかった。が、光が横にそれたとき、ロディは、いつかの晩《ばん》に見たのと同じ細長いシルエットの人影《ひとかげ》をみとめた。レインコートをはおっている。

「あいつかい？」

ウィリアムがささやいた。

「そうだと思う。へいにそって歩いてるとこだ。あっ！」

「どうしたんだ？」

「門に手をかけてるよ！」

「こっちへ来るのか？」

「うん！　あ、鍵《かぎ》をはずした。庭に入ってきちゃったよ！　今、下に立ってこっちを見上げてる！」

また、かいちゅう電灯の光がカーテンを照らした。ロディは、さっと頭を下げた。光が遠ざかるのを待って、もう一度のぞいてみた。

「あいつ、何してる?」

ウィリアムが、たずねた。

「何かさがしてるみたいだな。まずいっ! はしごを見つけたぞ! パパが使ってるやつだ!」

「わぁぁぁ!」

ウィリアムは、頭をかかえてしまった。

「落ち着いて。となりの犬が、あいつにほえかかってる。うん! うまい

ぞ。はしごからおりて、あ、門を出てった。走って逃《に》げてくよ！」

ゴースト・ハンターが通りの向こうに姿《すがた》を消すまで、ロディは用心深く見張《みは》っていた。

「ああ、行っちゃった。もう足がくがくだぁ」

立ち上がりながらロディが言った。

「ほんとにほんとに、行っちまったんだろうな？」

ウィリアムの声は、まだふるえている。

「きょうのところはね。けど、きっとまたここへもどってくる。あした、ぼくらが学校へ行ってる間、きみのことが心配だよ。何かいい方法を考えなくっちゃ」

9　動かぬ証拠《しょうこ》

次の朝、ロディは、朝ごはんを食べる前に、通りと庭の間を行ったり来たりして、ゴースト・ハンターが何か手がかりをのこしていないか調べてみた。

庭をよく見ると、大きな釘《くぎ》でも打ちこんだみたいに、芝生《しばふ》のあちこちにぷつぷつと穴《あな》があいていた。それに、もっとすごい証拠《しょうこ》もあった！　キャンディーの包み紙が一まい、落ちていたのだ。

ロディはそれをひろいあげると、ウィリアムのところに持っていった。

「だけんど、そんなもん、だれが落としたっておかしかねぇよ」

がっかりした調子でウィリアムが言ったが、ロディは負けていなかった。

「これが、証拠《しょうこ》の品になる可能性《かのうせい》だってあるさ」

包み紙のにおいをかいでみると、なんだか、とっても変わったにおいがする。

ちょうどそこへ、テッサがやってきた。いつもはノックもしないで飛びこんでくるくせに、今朝はおぎょうぎがいい。ロディは、さっそくテッサにキャンディーの包み紙を見せ、きのうの夜のできごとを話した。

「あたしは、なんにも見なかったわ。ぐっすりねむってたせいね」

と、テッサ。

「うん。それでぼく、どうやったら、やつにウィリアムのことを気づかれずにすむか、ず

うっと考えてたんだ」

「あ、ウィリアムっていえば……今、どこにいるの？」

「おっと、ごめん、ごめん」

ウィリアムは、急いでテッサの手にくつみがきのブラシをにぎらせた。

「ゴースト・ハンターって、においをかぐ力がすごいのよね。それを、どうにかごまかさなくちゃいけないわ」

テッサが、しんけんに言った。

「ごまかすって？」

ロディがたずねた。

「つまり、ウィリアムのにおいより、もっとにおいの強い何かをふりまけばいいの」

「においの強いものかぁ……」

「ねぇ、かんたんに手に入るもので、最強のにおいのものって、何か考えつかない？」

「わかったぞ！」

ロディが手を打った。

「ニンニクだ！　すごいにおいがするじゃない！」

「かしこい！　ロディ、今のうちにキッチンへおりてって、ニンニクを持ってきなさいよ。パパたちはまだ寝《ね》てるから」

もっと前なら、「姉さんが自分でとってこいよ」と口ごたえするところだったけれど、今は、ロディもそんなことを言う気にならない。あんまり急いで階段《かいだん》をかけおりたので、最後の数段《すうだん》をふみはずして、ころげ落ちてし

まった。

「だいじょうぶ？　ロディ」

と、ママの声がした。ちくしょう、なんだって、ぼくが落っこちたってわかるんだ？

「だいじょうぶだよ、ママ。何もこわしてないって」

冷蔵庫《れいぞうこ》をのぞきこみ、野菜入れをかきまわして、ロディは、ニンニクをひとふくろ見つけ出すと、すぐ部屋にひきかえした。

ニンニクを房《ふさ》に分けて、えんぴつをけずるナイフで小さく切った。テッサとふたりで、ニンニクを壁《かべ》にぬり、床《ゆか》にも足でこすりつけた。

すぐに部屋じゅう、ぴりぴりするニンニクのにおいでいっぱいになった。ものすごく、くさい。のどがいたくなるほどだ。

「しばらく、パパとママは、この部屋に近づけないほうがいいね」

ロディが言ったとき、パパが下からよびかけた。

「テッサ、ロディ、行ってくるよ。何か変なにおいがしないかい？」

さいわい、パパにはにおいをたしかめているひまがなかった。会社に出かける時間なのだ。

10 クローカーさん

その日は、先生たちもやさしくしてくれ、デカ鼻おじさんにも出会わなかったのに、ロディは一日じゅう、いてもたってもいられない思いだった。ウィリアムが無事かどうか、心配でたまらなかったのだ。

学校からもすっとんで帰った。大急ぎで階段《かいだん》をかけのぼって、部屋に飛びこみ、

「ウィリアム？」

と、よんだ。ウィリアムの姿《すがた》は見えない。

「ウィリアム」

もう一度よんだ。心臓《しんぞう》がひやっとする。

「ここだよ」

小さい声が答えた。ウィリアムは、洋服ダンスの上に、小さくなってすわっている。そこからだと、表の通りがよく見えるのだ。

ロディは、安心のあまり、大きな息をはきだした。

「ああ、よかった。無事だったんだね？」

「うん」

ふつうのサイズにもどりながら、ウィリアムが床《ゆか》におりてきた。

「おまえが考えてくれた〝くさったリンゴぬりたくり作戦〟がよかったみてぇだな」

「ぼく、ちょっぴり心配してたんだ」

「でも、こんだけすごいにおいなら、だいじょぶだろ」

ウィリアムが、にかっと笑った。

やっと落ち着いて、ロディがリビングでテレビを見ているときだ。

玄関《げんかん》のドアをめちゃくちゃにたたく音がした。機関銃《きかんじゅう》を撃《う》ちこんでいるみたいな音だ。

「テッサ、出てくれる?」

ママが、キッチンからよびかけた。

「今、ダメなの。ホッケーの試合に行くんで着がえてるのよ」

テッサが答えた。

ノックの音は、ますますはげしくなっている。だんっ! だんっ! だんっ! どこかで爆発《ばくはつ》でも起こっているようだ。

「じゃあ、ロディ。だれがいらしたのか、見てちょうだい」

ママに言われてロディがドアを開けたとき、ちょうどお客さんは、こぶしをふり上げたところだった。それは、お菓子屋《かしや》さんのクローカーさんだった! 腕《うで》を高く上げたままのかっこうで、ロディをにらんでいる。

「あんたがグズだから!」

クローカーさんは、ドアをたたきつけるようにしめながら言った。

「こんなにぬれちまったじゃないか!」

二連式のショットガンみたいな長い鼻から、雨がしたたり落ちていた。真っ黒なぴかぴかのレインコートをらんぼうにぬぐと、わざと水が飛びちるようにふりまわしてから、ロディに押《お》しつけた。銀のとってがついた黒い大きな傘《かさ》だけは、しっかりとにぎりしめている。ロディは、落ち着かない気分だった。

なんで、クローカーさんが、うちにやってきたんだろう？

わかった！　お菓子《かし》のびんを落っことしたもんだから、文句《もんく》を言いに来たんだ！

「母さんはどこだね？」

クローカーさんは、言った。

「あの……キッチンに」

「ふん！　そりゃ、石炭小屋にいるはずないさ」

ぴしゃりと言いかえすと、クローカーさんは、傘《かさ》とハンドバッグをひっつかんだまま、家の中にずかずか入ってきた。歩きながら、頭を左右にふっている。どうやら、においをかいでいるようだ。うわっ、きっとニンニクくさいんだ！　とロディは首をすくめた。

そこへ、ママがやってきた。何がなんだかわからない、という顔つきをしている。

「あんたが、この子の親だね」

クローカーさんは、高飛車《たかびしゃ》に言った。

「あたしはクローカー。お菓子屋《かしや》の新しい店主でね。きょうは、あんたんとこの息子《むすこ》のことで、文句《もんく》があって来たってわけ」

「まあ、いったいなんですの？」

ママは、すっかり青ざめてしまった。

「この子が何をやったか、とっくりお聞かせしようじゃないの」

クローカーさんが客間に案内されている間に、ロディは逃《に》げ出した。

姉さんに助けてほしいところだったが、テッサのほうは、スポーツバッグをさげて部屋を出てくると、

「じゃ、行ってくるわね」

と、うれしそうに出かけてしまった。

ロディは二階にかけあがると、ウィリアムにうったえた。

「聞いてよ。お菓子屋《かしや》の新しいおばさんが、ぼくに文句《もんく》を言いに来ちゃったんだ。どうし

よう？」

「心配すんなって」

ウィリアムは、答えた。

「おいらが、もう二度と来ねぇようにしてやっからよ」

「ちょっと、ロディ」

階段《かいだん》の下で、ママがよんでいた。

「ここへ来てちょうだい。聞きたいことがあるの」

ロディが客間に入っていくと、クローカーさんが、キャンディーをなめながら、ロッキングチェアにすわっているのが見えた。

「ロディ、クローカーさんがおっしゃるには、あなた、この間お店で、お菓子《かし》のびんをこわしておいて、走って逃《に》げたそうじゃないの。ひとこともあやまらないで」

ママの言葉を聞いて、ロディは息がつまりそうになった。クローカーさんのほうは、ぴちゃぴちゃ音を立てながらキャンディーをなめている。

そのキャンディーのにおいったら！　せき止めドロップみたいな、ひどいにおいがするのだ。

「あの……ぼく、ほんとにごめんなさい。クローカーさん」

ロディは、助けをもとめるようにママを見ながら言った。

「びんを落としたのは、ごめんなさい。でも、ぜったい割《わ》ってません」

「ロドリックくんとやら、あたしをうそつきよばわりするつもりかい？」
クローカーさんは、おそろしげな声を出した。口の中で右から左にころがしたキャンディーが、ほっぺたをふくらませている。
ロディはすっかりびくついて、ママにすがりつきたい思いだった。が、ママは目をそらせたままだ。

「問題はね、ロドリック。だれかが、あんたがこわしたものの弁償《べんしょう》をしなくちゃいけないってことなんだよ」

傘《かさ》の先をカーペットにこんこんたたきつけながら、クローカーさんは、はげしい調子でつづけた。

「あのぉ、クローカーさん」

そこへ、おずおずとママが口をはさんだ。

「弁償《べんしょう》っていうのは、ちがうのじゃありません？　その、もしロディが何もこわしていないんだとしたら、ですけど」

ロディのほうは、ぼんやりと、クローカーさんが傘《かさ》の先でつついた、カーペットの穴《あな》ぼこを見つめていた。あれ？　これって、どこかで見たことがあるぞ……。

「とにかく、弁償《べんしょう》してもらうからね。ざっと計算したとこじゃ、四〇ポンドはもらわなくちゃ」

クローカーさんが、ほえたてた。

「四〇ポンド!?」

ロディとママは、声を合わせてさけんだ。

この、ぬすっとババアめ！　ロディは、心の中で思った。なんてケチで、欲張《よくば》りで、はじ知らずなんだろう！

ママも、すごく腹《はら》が立っているようだ。けれど、けんめいに、礼儀《れいぎ》正しくしようとつとめていた。

「ええっと、クローカーさん、あの……」

ママは、さっき準備《じゅんび》しかけていたお茶のテーブルに目をやった。

「そう、お茶でもいかがかしら？」

「お茶？　ふん、あたしをもてなしたいっていうんなら、さっさと用意したらどう？」

「そ、それじゃ、あなた用のカップを持ってきますから」

ママは言うなり、キッチンに逃《に》げこんだ。
もちろん、ロディもいっしょについていった。

11　クリーム・スコーン騒動《そうどう》

「まったく、なんて変な人なんでしょう！」
ママは、ぼやいた。
「ロディもロディよ。ひとこと言ってくれればよかったのに。どうにかして、あの人に考えを変えてもらわなくっちゃ。うちには、とても四〇ポンドもはらう余裕《よゆう》はないわ」
ママが、クローカーさん用のカップを用意する間に、ロディは、スコーンにクリームをぬっていた。

「スコーンができたら、持っていくよ」

少しでも長くクローカーさんからはなれていたくて、ロディはぐずぐずしていた。

ママが、カップをのせたお盆《ぼん》を持って客間にもどってしまうと、ウィリアムが、ぱっとあらわれた。

「クリームときた！　こりゃ、か〜んぺき！」

ウィリアムは、にかにか笑っている。

「どこから来たんだい？」

「おまえにくっついて来たんだ」

ウィリアムは、自信たっぷりで言った。

「クローカーのババアは、クリームを楽しむことになるぜ。それも、た〜っぷりとな」

ロディは、自分の考えごとに夢中《むちゅう》で、ウィリアムの話をまともに聞いていなかった。

四

○ポンドだって？　なんてこった！

クリームつきスコーンの皿を持って客間にもどると、テーブルの上に置いた。

そのときだ、ロディの目に、キャンディーの包み紙が飛びこんできたのは。

クローカーさんが落っことしたものにちがいない。ロディは、包み紙をひろいあげ、ショックのあまり青ざめた。心臓《しんぞう》が、ばくばく音を立てて打ちはじめた。ただまじまじと、お客を見つめるばかりだ。

わかった！　カーペットの穴《あな》ぼこは、今朝、庭にぽつぽつあいていた穴《あな》と同じものだ！なぜ、もっと前に気づかなかったんだろう。この長い大きな鼻！　においをかぎだそうと、今もひくひく引きつっている。なのに、ウィリアムはここに来ようとしている！　ワナにはまっちゃう！

ああ、クローカーさんこそ、**ゴースト・ハンター**その人だったのだ！

ロディは必死だった。友だちに危険《きけん》を知らせなくちゃ！

が、もうすでにおそかった。ウィリアムは、スコーンの皿に近づこうとしている。クローカーさんの鼻がさかんに動いているのは、ウィリアムのにおいをかぎつけたからにちがいない。

と、クローカーさんは、すごいいきおいで、傘《かさ》のとっての部分をまわしはじめた。気味の悪いほほえみが、くちびるに浮《う》かんでいる。

TIMES

「おもしろいしかけだわ。中に何か入ってるんですか？」

ママがたずねると、クローカーさんは答えた。

「そう。あたしの香水《こうすい》スプレーがね」

それを聞いたロディは、生きた心地がしなかった。まずい！　それが〝ゆうれいがちんこスプレー〟だ！

ウィリアムは、クローカーさんに投げつけるつもりで、クリームがなるべくたくさんのっかったスコーンを選んでいるさいちゅうだった。

ママが傘《かさ》のしかけのことをさかんにほめまくっているすきに、ロディは、じりじりとウィリアムのほうに寄《よ》っていって、ささやいた。

「あいつがゴースト・ハンターだ！」

とたんに、ウィリアムが凍《こお》りついた。クローカーさんのびりびりふるえる鼻をちらっと見るなり、おそろしい真実を理解《りかい》したのだ。

クローカーさんは、もういつでも吹《ふ》きかけられるように、スプレーに指をそえている。

立ち上がって、ママがすわっているほうに歩きだした。部屋のあちこちに視線《しせん》を飛ばしている。目を細め、鼻をすさまじいほどふんふん鳴らしている。ドアの前に立ちふさがってロディの逃《に》げ道をふさぐと、鼻息あらく言った。

「あいつはどこなんだ？　え？　あのうすのろのチビ助は？　あいつがここにいるのは、わかってるんだ。におうぞ、におう！」

「ああ、どうしよう!?」

ウィリアムはさけんで、ロディの後ろにかくれた。おびえて、目をまんまるに見開いている。

「くつブラシをわたして」

ロディがささやくと、ウィリアムはおどろいた。

「そんなことしたら、おまえ、姿《すがた》が見えなくなるんだぞ」

「いいから、ぼくが言ったとおりにして！」

ウィリアムがブラシをわたすと、とたんにロディの姿《すがた》が消えた。ママは、クローカーさんの奇妙《きみょう》なふるまいにすっかり度肝《どぎも》をぬかれて、ロディが消えたことにぜんぜん気がついていない。

しゅうっ！　しゅうっ！

クローカーさんがスプレーを吹《ふ》きかけはじめた。あたり一面に水滴《すいてき》が飛び散った。

「きゃあ、何をするんです。スコーンがぬれちゃったわ」

ママがさけんでいた。

「ここから逃《に》げるんだ！　キッチンへ！」

ロディがウィリアムに言うと、ウィリアムはすぐさま壁《かべ》の中に入っていった。

ロディは、というと、スコーンをとりあげ、クローカーさんのショットガンみたいな鼻目がけて投げつけた。スコーンは、びゅーんと部屋を横切って飛び、すぽん！　とみごとに鼻につきささった。

　クリームがべっちゃりくっついて、あごの先からもしたたっている。

　ママは、ただもうびっくりして、口を開けているばかりだ。ロディは、急いで壁《かべ》を通りぬけ、ウィリアムのあとを追った。

「この家の中、どっこも安全じゃないよ！　あいつ、家じゅうのものにスプレーしてまわるに決まってる！」

　キッチンに入るなり、ロディは言った。
「おいらだけじゃねぇ。そのブラシを持ってると、おまえだってあぶないんだぜ」
　ウィリアムの言葉に、ロディは、電気にふれたみたいに、ぱっとブラシを手からはなした。
　きょう一日、ロディはずうっと、どうやったらウィリアムを助けられるかと、そればっかりを考えていた。そして今、いちばんさし

せまって必要なときに、信じられないくらい、いいアイデアがひらめいた！

「小さくなって！」

ロディが言うと、ウィリアムはすぐ、そのとおりにした。

「それでいい。そのままジャムのびんに入るんだ」

ロディは、食器棚《だな》をかきまわして、あきびんをさがしながら言った。

「いやだ。こわいよ」

ロディがなんとかウィリアムに言って聞かせようとしているとき、ママがキッチンに飛びこんできた。後ろから、クローカーさんのさけび声が聞こえる。

「スコーンを投げるとは！　まったく、なんて無礼なガキだ！」

クローカーさんが、となりの部屋を、すごいきおいでかぎまわっているのがわかった。

「ああ、あったぞ！」

やっとあきびんを見つけると、ロディは急いでふたをはずした。中に入るようにウィリアムに身ぶりで知らせたが、ウィリアムは首をはげしく横にふるばかり。

とうとう、クローカーさんがキッチンにふみこんできた。鼻の穴《あな》を最大限《さいだいげん》におっぴろげ、スプレーをかまえている。

「入れったら！」

ロディは、金切り声をあげた。

クローカーさんのスプレーが、ウィリアムめがけて吹《ふ》きつけられた瞬間《しゅんかん》、ウィリアムは、あきびんの中に飛びこんだ。ロディはすぐさま、かたくふたをしめた。

とつぜん、クローカーさんの鼻が動かなくなった。ふしぎそうにあたりを見まわしている。ママが用意していたお茶用の食べ物がみんな、スプレーを吹《ふ》きかけられて、びしょぬれだ。かびくさい、いやなにおいがする。

「やめて！　おねがい、もうやめてください！」

ママが、おびえた顔つきでうったえている。

クローカーさんは、ママの言うことなんか聞いていなかった。ゆうれいのにおいが消えてしまったので、もういかりくるっているのだ。キッチンじゅうをかぎまわっては、〝ゆ

うれいがちんこスプレー〟を、あたりかまわず吹《ふ》きつけまくっている。

ロディは、小さくなってあきびんの底にうずくまっているウィリアムに向かって、元気づけるようにほほえんでみせた。とにかくここに入ってさえいれば、スプレーをかぶることもないし、ゴースト・ハンターにかぎつけられることもない。

一方、今やだれにも、クローカーさんを止めることなどできなかった。何もかもがびしょぬれ。てんじょうから、スプレーのしずくがぽたぽた落ちてくるほどだ。

「今すぐやめてください！　うちから出ていって！」

ママがどんなにさけんでも、むだだった。クローカーさんはスプレーから指をはなさない。目が異様《いよう》にぎらぎらしている。とうとう、ママは警察《けいさつ》に電話をかけ、クローカーさんの腕《うで》をつかんでこう言いわたした。

「出ていかないなら、わたし、警察《けいさつ》をよびましたからね」

「あいつを見つけるまで、出てくもんか！」

クローカーさんは、ママを押《お》しのけると、どたどたと二階へかけのぼっていった。

「ここにいるのは、わかってるんだ。バカな、チビゆうれいめが！」

ロディの部屋のドアが、ばたん！　と開き、物を投げたりひっくり返したりする、すごい音が聞こえてきた。引き出しをぶちまけ、本棚《ほんだな》を引きずりたおしているようだ。

「わあ、めちゃくちゃにされちゃう！」

そのとき、玄関《げんかん》のドアをだれかがはげしくノックした。

「警察《けいさつ》です！」

ロディが動く前に、テッサが自分の鍵《かぎ》でドアを開けて、警官《けいかん》といっしょに入ってきた。

「試合は雨で延期《えんき》よ。ねぇ、いったい何があったの？」

テッサの横を、ふたりの警官《けいかん》がすばやく通りぬけて、二階へ走り上がっていった。

「はなせ！」

　ゴースト・ハンターのきいきい声がした。ふたりの警官《けいかん》は、あばれまくるクローカーさんを両わきからかかえて、引きずりおろしてきた。

「もう二度と、この人にはうちへ来ないでほしいわ」

　ママが言うと、警官《けいかん》のひとりが、にっと笑って答えた。

「これ以上ごめいわくはおかけしないと思いますよ。実は、この女、警察《けいさつ》で指名手配していたんです。お菓子《かし》屋のハンフリーさんをしばりあげて、店のおくにとじこめていたんですか

ら」

「そんな！　かわいそうなハンフリーさん！」

テッサが声をあげた。

「だいじょうぶ。今朝、無事に助け出されましたから。この女はね、」

と、警官《けいかん》は、親指でクローカーさんを指して、

「ハンフリーさんをロープでしばって、物置に押《お》しこんだんです。お菓子《かし》屋をのっとる気だったんですよ」

警官《けいかん》に引きずられながら、クローカーさんはロディたちのほうをふりかえって、金切り声でさけんだ。

「ゆうれいをかばいやがって！」

ママが、ロディとテッサを守るように引きよせた。クローカーさんは、鼻の先からスコーンのクリームをしたたらせながら、まだまださけんでいる。

「くそったれ！」

「いいかげん静かにしないか」

べつの警官《けいかん》が言った。

「ゆうかい事件《じけん》は、もう解決《かいけつ》だ」

「ゆうれい事件《じけん》も、もう解決《かいけつ》さ」

ロディが小さくつぶやいた。

「あんな人、何年も何年も、牢屋《ろうや》に入っているといいんだわ」

テッサが横で言った。

警官《けいかん》たちは、クローカーさんを外へ引きずり出そうとしていた。それでも、クローカーさんは、あきらめずにあばれまくり、ものすごいいきおいでドアをけった。

ドアのしまる音が、家じゅうにひびきわたった。屋根から壁《かべ》までが、びりびりふるえるほどだ。テーブルにのせたカップが、がたがたゆれている。キッチンの水道のじゃぐちからも、水がぼたん！　と落ちた。

しばらくクローカーさんのさけぶ声が聞こえていたが、やがて、あたりはし~んと静かになった。ママは大急ぎで、カップが割《わ》れていないかどうか、たしかめに行った。

ロディは、すぐにウィリアムをびんから出してやった。

「きみが無事で、ほんとうによかったよ！」

テッサもうれしそうにつづけた。

「これからは、三人でうんと楽しいことしましょうよ」

ウィリアム・ポヴェイは、今や階段《かいだん》のてすりの上に、のびのびと体をのばしていた。

「そうさなぁ。まずは、おいわいをしようじゃないの」

ウィリアムはそう言って、ロディとテッサにくつみがきのブラシをわたした。

「いいかい。おいらについてきな」

「どこに行くつもり？」

ロディがたずねた。

「いいから、上に上がることを考えなって」

ロディとテッサは、ふわりと浮《う》き上がると、ウィリアムの後ろから、階段《かいだん》を通り、おどり場に出て、屋根まで飛んでいった。

えんとつのそばに腰《こし》をおろすと、テッサが言った。

「すっごいわぁ！」

「気に入ったかい？」

ウィリアムは、にこにこしている。

「じゃ、こんどは空を飛ぼうぜ」

「空を飛べるの？」

ロディが大声を出した。

「もっちろんさ。んでも、はじめは、おいらと手をつないでたほうがいいな。ほんじゃ、かぞえるよ」

「かぞえるって、何を？」

と、ロディ。

「三つかぞえたら、ジャンプすんだ」

「ジャンプする、ですって？」

「おいらといっしょだから、ぜえったい、だいじょぶだって」

「そんなぁ！」

テッサがさけんだが、ウィリアムは平気だ。

「それ、いち、に、さん！」

三人は声に合わせて、空に飛び出した。気がつくと、屋根から八メートルばかりも上のあたりをただよっていた。

「しっかりおいらにつかまって」

ウィリアムが声をかけた。

「ブラシをはなすなよ」

ウィリアムは、ふたりを連れて、教会まで飛んでいった。

「うわぁ、きれいだなぁ！」

ロディが思わず言った。

見下ろせば、家々の芝生《しばふ》の緑が目に入る。広い道路が、まるで一本のリボンみたいだ。向こうに点のように見えるのは、警察《けいさつ》の車だ。ゴースト・ハンターを乗せて、遠くへ遠くへ走りさっていく。

ロディは、うれしさのあまり、にかにか笑ってしまう。

ゆうれいの友だちがいるなんて、なんてステキなことなんだろう。

これからテッサとロディは、ウィリアムといっしょに、最高に楽しい時間をすごせるにちがいない！

著者：アイヴァン・ジョーンズ Ivan Jones
イギリスの作家。数多くの児童文学を著しているほか、詩集やテレビ・ラジオの脚本も手がけている。人気作のひとつであるゴースト(幽霊)の物語は、彼の母親が、妹の住む古い家で幽霊を見たときのことがヒントになっているといわれる。本書を含む3冊の「ゴースト・ハンター」シリーズは、BBCのテレビ・ドラマになって話題を呼んだ。

訳者：せな あいこ
東京生まれ。同志社大学文学部卒業。主な翻訳絵本に『ちかい』『ミラクルゴール！』『ババールの1・2・3』『ワーニー、パリへ行く』(いずれも評論社)など、翻訳物語に『ピュア・デッド・マジック――うちの家族はチョー魔法』(評論社)がある。

評論社の児童図書館・文学の部屋
ゴースト・ハンター

2004年11月10日　初版発行

●――著　者　アイヴァン・ジョーンズ
●――訳　者　せな あいこ
●――発行者　竹下晴信
●――発行所　株式会社評論社
〒162-0815 東京都新宿区筑土八幡町2-21
電話　営業 03-3260-9409／編集 03-3260-9406
URL　http://www.hyoronsha.co.jp
●――印刷所　凸版印刷株式会社
●――製本所　友晃社製本所

ISBN4-566-01362-6　NDC933　121p.　188mm×128mm
商標登録番号　第730697号　第852070号　登録許可済